GOLAU AR Y GAMLAS ❖ DRAWN TO THE LIGHT

David Meredith

Cyflwynir y llyfr hwn   This book is dedicated
er cof am   to the memory of

JOHN REES THOMAS
1958–2013
Carwr celfyddyd, dyn y Pethe

Cynhyrchwyd gan / Produced by
LLYFRAU MAGMA, Ynys Môn

Trefnwyd gan / Arranged by
Robert Williams, Llansadwrn

Oriel Ynys Môn
Llangefni, Ynys Môn LL77 7TQ

CYNGOR SIR
YNYS MÔN
ISLE OF ANGLESEY
COUNTY COUNCIL

ISBN 978-1-902565-15-6

Mae cyhoeddi'r llyfr hwn yn garreg filltir bwysig i Oriel Ynys Môn. Mae'n dathlu pum mlynedd ers agor Oriel Kyffin Williams yn 2008, sydd eisoes wedi cyfrannu at fywyd diwylliannol Ynys Môn a Chymru gyfan.

Mae *Golau ar y Gamlas*, gan David Meredith, yn ein tywys oddi wrth dirweddau Ynys Môn, cartref yr arlunydd Syr Kyffin Williams OBE RA (1918-2006), i ddinas Fenis a fu'n ysbrydoliaeth iddo am fwy na hanner canrif. Yn y ddau fyd tra gwahanol yma, rhyfeddai Kyffin at y ffordd y câi golau ei adlewyrchu ar ddŵr.

Mae'r llyfr yn olrhain cysylltiad yr arlunydd â Fenis. Mae'n cyflwyno gwaith arlunwyr brodorol Fenis fel Canaletto a Guardi, ac yn rhoi sylw i waith arlunwyr adnabyddus o wledydd eraill a fu'n gweithio yn Fenis, fel Monet, Turner, Sickert a Brangwyn. Cafodd pob un o'r arlunwyr hyn ddylanwad ar Kyffin Williams wrth iddo astudio eu gwaith ac wrth ymweld â Fenis.

Pat West
Oriel Ynys Môn, *Cyngor Sir Ynys Môn*

This publication represents an important landmark for Oriel Ynys Môn. It celebrates the fifth anniversary of the opening in 2008 of Oriel Kyffin Williams, which has already made its mark on the cultural life of Anglesey and of Wales as a whole.

Drawn to the Light, by David Meredith, leads us away from the landscapes of Anglesey, the home of the painter Sir Kyffin Williams OBE RA (1918-2006), to those of Venice, which inspired him for more than half a century. In both of these very different worlds Kyffin was fascinated by reflected light on water.

The book traces the artist's relationship with Venice. It introduces the work of native Venetian painters such as Canaletto and Guardi, and goes on to explore the work of renowned visitors to Venice, such as Monet, Turner, Sickert and Brangwyn. All of these painters influenced Kyffin Williams during his studies and on his visits to Venice.

Pat West
Oriel Ynys Môn, *Isle of Anglesey County Council*

VENEZIA · LA SERENISSIMA

Ar ôl cyfnod Marco Polo, y masnachwr a'r anturiaethwr mentrus yn y drydedd ganrif ar ddeg, tyfodd *Venezia*—Fenis—yn wladwriaeth ddinesig bwerus a llwyddiannus. Erbyn y bymthegfed ganrif hon oedd y ddinas fwyaf blaenllaw a phwerus yn Ardal Môr y Canoldir a'r wladwriaeth bwysicaf yn yr Eidal.

Llifodd cyfoeth aruthrol i'r ddinas gosmopolitaidd hon o'r tiriogaethau a orchfygwyd yn ardaloedd Môr yr Adriatig, y Môr Egeiadd ac ardal ddwyreiniol Môr y Canoldir, ac yn sgil masnachu ag Asia. Roedd celf yn ffynnu ac roedd *La Serenissima* (Gweriniaeth Oruchaf Fenis) yn esiampl berffaith o lewyrch a chyfoeth.

Following the days of the intrepid explorer and merchant Marco Polo in the thirteenth century, *Venezia*—Venice—grew as a powerful and successful city state. By the fifteenth century it had become the leading maritime power in the Mediterranean and the greatest of the Italian states.

Untold wealth flowed into this cosmopolitan city from its conquered territories in the Adriatic, Aegean and eastern Mediterranean Seas, and from its trade with Asia. Art flourished and *La Serenissima* (The Most Serene Republic of Venice) was the epitome of prosperity and opulence.

Piazza San Marco, Venezia (*c.*1600)

Braslun Kyffin (1979) o waith olaf Andrea del Verrocchio, *c.*1485, cerflun Bartolomeo Colleoni ger Scuola di San Marco.

"Rwyf wrth fy modd â'r cerfluniau gwych yma. Mae un yn Fenis, cerflun Colleoni. Mae'n wych— y gŵr mawreddog yma."

Kyffin's sketch (1979) of Andrea del Verrocchio's last work, *c.*1485, the statue of Bartolomeo Colleoni at the Scuola di San Marco.

"I love those magnificent equestrian statues. There's one in Venice, the Colleoni statue. It's a magnificent thing—this arrogant man."

Yn ôl y sôn, pan oedd Fenis yn ei hanterth, 'yr oedd llenni tai ei thlodion o sidan, eu llestri o arian, a'u haddurniadau o aur coeth, ac am ei chyfoethogion, y mae pob palas sydd ar lan y Canal Grande yn gartref teilwng i frenin'. (O M Edwards, *Tro yn yr Eidal*, 1888)

Roedd dosbarth o uchelwyr pwerus oedd yn cynnwys y Doge (arweinydd y Weriniaeth) yn noddi artistiaid: câi palasau, eglwysi a chanolfannau dinesig eu haddurno â gwaith prif arlunwyr Fenis a cherfluniau fel y rhai gan Andrea del Verrocchio (*c*.1435-88). Yn ei weithdy ef y prentisiwyd Leonardo da Vinci. Nodweddid Fenis gan adeiladau a gynlluniwyd gan Andrea Palladio (1508-80) y pensaer gwych o'r unfed ganrif ar bymtheg. Gellid gweld Llew Sant Marc a'i adenydd rhyfeddol ym mhob rhan o'r ddinas.

Dros y canrifoedd, mae arlunwyr blaenllaw Ewrop wedi cael eu denu'n ôl droeon i *Venezia*—Fenis—gyda'r Dolomitau yn y cefndir, gyda'i chamlesi a'i gondolâu, ei chelf a'i phensaernïaeth ryfeddol, llanw a thrai y morlyn, a'i hynysoedd.

Roedd John Kyffin Williams yn un ohonynt.

It was said of Venice at its zenith that 'the curtains in the homes of the poor were made of pure silk, their crockery made of silver and their ornaments of pure gold, and that every palace owned by the rich along the Grand Canal was fit for a king'. (O M Edwards, *Tro yn yr Eidal*, 1888)

A powerful aristocracy which included the Doge (the figurehead of the Republic) provided patrons of the arts: palaces, churches and civic centres were adorned by the work of Venetian masters, including sculptors such as Andrea del Verrocchio (*c*.1435-88), in whose workshop Leonardo da Vinci was apprenticed. Venice was blessed by buildings designed by the sixteenth century's great architect, Andrea Palladio (1508-80). The Lion of St Mark was to be seen throughout the city.

Over the centuries, the leading painters of Europe have been drawn repeatedly to *Venezia*—Venice—that amphibious city with the Dolomites in the background, with its canals and gondolas, its remarkable art and architecture, its tidal lagoon and its islands.

John Kyffin Williams was one of them.

Ysbrydoliaeth Kyffin

Kyffin's inspiration

Roedd gan deulu Kyffin gysylltiadau â Fenis, gan ei fod yn perthyn i Thomas Williams (1737-1801), neu 'Twm Chwarae Teg' fel y'i gelwid ym Môn, perchennog gwaith copr a wnaeth ei ffortiwn o fwyngloddiau Mynydd Parys. Roedd teulu Williams yn berchen ar dai ar Ynys Môn, yn Sgwâr Berkeley, Llundain, ac yn Fenis.

Ganed Kyffin Williams yn Llangefni yn 1918. Ar ôl mynd i'r ysgol ym Mae Trearddur, Ynys Môn, ac yn Yr Amwythig, astudiodd asiantaeth tir ym Mhwllheli. Yn 1937 cafodd ei gomisiynu'n Is-lefftenant gyda'r Ffiwsilwyr Brenhinol Cymreig (Y Fyddin Diriogaethol). Ond bu'n rhaid iddo adael y fyddin oherwydd ei fod yn dioddef o epilepsi a dyma'r cyngor a roddwyd iddo gan feddyg y fyddin: 'Gan eich bod yn *abnormal*, rwy'n credu y byddai'n syniad da i chi ymhél ag arlunio'.

Kyffin had historical links with Venice, being related to the copper magnate, Thomas Williams (1737-1801), who made his fortune from the Parys Mountain copper mines and was known in Anglesey as *Twm Chware Teg* ('Fair Play Tom'). The Williams family owned houses on Anglesey, in Berkeley Square, London, and in Venice.

Kyffin Williams was born in Llangefni in 1918. After schooling at Trearddur Bay, Anglesey, and at Shrewsbury, he studied land agency at Pwllheli. In 1937 he was commissioned as a Second Lieutenant with the Royal Welch Fusiliers (Territorial Army). Suffering from epilepsy, Kyffin was discharged with the words of the army doctor ringing in his ears: 'As you are in fact abnormal I think it would be a good idea if you took up art'.

Piero della Francesca
Yr Atgyfodiad (*c.*1464) *"Cefais fy nharo a fy llorio gan yr emosiwn yn y paentiad."*

The Resurrection (*c.*1464)
"The emotion in the painting hit me, pole-axed me."

Yn unol ag awgrym y meddyg, yn 1941 aeth i Ysgol Celfyddyd Gain y Slade ac yno cafodd hyfforddiant arbenigol ar hanes celf. (Oherwydd y rhyfel roedd y Slade wedi symud o Lundain i Amgueddfa Ashmolean yn Rhydychen.) Rhwng 1941 a 1944 astudiodd Kyffin wrth draed yr Athro Tancred Borenius, hanesydd celf o'r Ffindir oedd yn arbenigo yng ngwaith celf cyfnod y Dadeni cynnar, yn arbennig yn ardal Vincenza, ger Fenis; yr Athro Randolph Schwabe, Pennaeth y Slade, ac Allan Gwynne Jones, artist o dras Gymreig, Cernyweg a Gwyddelig. Ar ôl gadael y Slade, penodwyd Kyffin yn Uwch Athro Celf yn Ysgol Highgate yn Llundain.

Yn 1946 rhestrodd Kyffin 'y gwŷr creadigol hynny oedd yn golygu llawer i mi'. Ynghyd â Botticelli, Rembrandt a Van Gogh, yr oedd dau o brif artistiaid Fenis, sef Titian (Tiziano Vecellio, *c.*1488-1576) a Tintoretto (Jacopo 'Robusti', 1518-94). Edmygai Kyffin waith Titian oherwydd ei ddefnydd arloesol o liw a'i bortreadau meistrolgar.

Astudiodd Kyffin waith arlunwyr o wledydd eraill a fu'n paentio yn Fenis yn ystod y bedwaredd ganrif ar bymtheg a dechrau'r ugeinfed ganrif—artistiaid o fri fel J M W Turner (1775-1851), Richard Parkes Bonington (1802-28), James McNeill Whistler (1834-1903), Claude Monet (1840-1926), John Singer Sargent (1856-1925), Walter Richard Sickert (1860-1942) a Frank William Brangwyn (1867-1956).

He acted on the doctor's suggestion and in 1941 enrolled at the Slade School of Fine Art where he received expert tuition in the history of art. (Due to the war, the Slade had been evacuated from London and was based at the Ashmolean Museum, Oxford.) From 1941 to 1944 Kyffin studied under the Finnish art historian Professor Tancred Borenius, whose speciality was the art of the early Renaissance, especially in the Vincenza area, not far from Venice; Professor Randolph Schwabe, Principal at the Slade, and Allan Gwynne Jones, an artist of Welsh, Cornish and Irish descent. On leaving the Slade, Kyffin was appointed Senior Art Master at Highgate School in London.

In 1946 Kyffin listed 'those creative men that meant much to me'. Alongside the likes of Botticelli, Rembrandt and Van Gogh, were two of Venice's artistic giants, Titian (Tiziano Vecellio, *c.*1488-1576) and Tintoretto (Jacopo 'Robusti', 1518-94). Kyffin admired Titian for his masterly portraits and his revolutionary use of colour.

Kyffin also studied the work of artists from elsewhere who painted in Venice during the nineteenth century and the beginning of the twentieth century—artists of genius such as J M W Turner (1775-1851), Richard Parkes Bonington (1802-28), James McNeill Whistler (1834-1903), Claude Monet (1840-1926), John Singer Sargent (1856-1925), Walter Richard Sickert (1860-1942) and Frank William Brangwyn (1867-1956).

"Er efallai nad yw'n rhagori ar arlunwyr fel Titian, Giorgione neu Veronese, i mi, roedd Tintoretto yn ymgorfforiad o egni celfyddyd Fenis ac mae ei ddarlun o'r Croeshoeliad yn Scuola di San Rocco [gweler y manylion, isod] heb os yn un o'r lluniau gorau i gael eu paentio erioed. Mae cymaint o egni yn ei waith nes bod fy system niwrotig wedi ymateb iddo'n syth fel pe bai cynyrfiadau trydanol yn llifo trwy fy nghorff."

"Although he may not be greater than Titian, Giorgione or Veronese, Tintoretto appeared to me to be the epitome of the vigour of Venetian Art and I felt certain that his Crucifixion in the Scuola di San Rocco [see detail, below] was one of the greatest pictures ever to be painted. His work is so imbued with nervous energy that my own neurotic system seemed to react to it immediately as if electric impulses were passed through me."

Tintoretto : *Croeshoeliad* [manylion] / *Crucifixion* [detail] (1565)

Titian : *Pab Pawl III a'i Wyrion / Pope Paul III and his Grandsons* (1546)

J M W Turner

Sgwâr San Marco, Fenis – Juliet a'r Nyrs (1836)
Darlunnir y carnifal blynyddol a gynhelid o ddiwedd
Ionawr hyd at Y Grawys. Mae Turner wedi lleoli Juliet
yn Fenis, er mai yn Verona y mae *Romeo a Juliet*
Shakespeare.

St Mark's Place, Venice – Juliet and her Nurse (1836)
The painting depicts the annual carnival held from the
end of January to Lent. Turner has placed Juliet in
Venice, even though Shakespeare's *Romeo and Juliet* is
set in Verona.

Frank Brangwyn : *Eglwys St Marc o'r Lagŵn / St Mark's from the Lagoon* (1896)

Mae'r lluniau gyferbyn o *The Pageant of Venice* gan Edward Hutton (1922), darluniwyd gan Frank Brangwyn.

Llew San Marco, a welir ar glawr *Golau ar y Gamlas*, yw'r dyluniad a ddefnyddir yn nheitl *Pageant of Venice*.

Drawings opposite are from *The Pageant of Venice* by Edward Hutton (1922), illustrated by Frank Brangwyn.

The Lion of St Mark, reproduced on the cover of *Drawn to the Light*, is Brangwyn's title design for *Pageant of Venice*.

Wrth gofio'r cyfnod a dreuliodd yn y Slade, meddai Kyffin: *"Roedd Augustus John yn cael ei wthio i lawr ein cyrn gyddfau, ond nid felly yn achos Sickert ac o'r herwydd roeddem yn ei werthfawrogi'n fwy."*

Kyffin recalled that during his time at the Slade: *"Augustus John was pushed down our throats. Sickert was not pushed down our throats and therefore we appreciated Sickert more."*

Walter Sickert

↑ *Palazzo Eleonora Duce* (*c*.1901)
→ *Pont Rialto a Palazzo dei Camerlenghi* (*c*.1903)

↑ *Palazzo Eleonora Duce* (*c*.1901)
→ *The Rialto Bridge and the Palazzo dei Camerlenghi* (*c*.1903)

"Yn yr Orendy [Musée de l'Orangerie, Paris]
*Monet a wnaeth yr argraff fwyaf arnaf. ...
Rwy'n hoff o gael fy nghyffroi a chefais fy
nghyffroi'n fawr gan ei baentiadau."*

"In the Orangerie [Musée de l'Orangerie,
Paris] *it was Monet who made the greatest
impression on me. ...I like to be moved and
I was greatly moved by his paintings."*

Claude Monet

↑ *San Giorgio Maggiore yn y Gwyll* (1908)
→ *Palazzo Dario* (1908)

↑ *San Giorgio Maggiore by Twilight* (1908)
→ *Palazzo Dario* (1908)

Y meistri o Fenis

Venetian masters

Mewn cyfweliad yn 2004, esboniodd Kyffin Williams sut y dechreuodd arlunwyr ddefnyddio olew yn lle tempera (proses o gymysgu lliw â melynwy) fel cyfrwng paentio. Cyflwynwyd olew i Fenis gan arlunwyr o'r Iseldiroedd mor gynnar â 1474. Lle gynt y defnyddid brws bach, bellach roedd y cyfrwng newydd yn galluogi i artistiaid ddefnyddio brws mwy gan greu effaith fwy egnïol a llyfn.

Aeth Kyffin rhagddo i esbonio bod Fenis ar y pryd yn wladwriaeth bwerus yn Ardal Môr y Canoldir ac felly bod erwau o ganfas (lliain hwyliau) ar gael yn iardiau'r llongau. Disgrifiodd hyn fel 'un o'r enghreifftiau gorau o lwc yn hanes celf' gan iddo annog arlunwyr o fri fel Titian, Tintoretto a Paolo Veronese (1528-88) i weithio ar raddfa fawr.

Cafodd Fenis ddylanwad mawr ar ddatblygiad paentiadau tirlun. Mae'n bosibl mai'r artist mwyaf adnabyddus o holl arlunwyr brodorol Fenis yn yr ail ganrif ar bymtheg a'r ddeunawfed ganrif oedd

Interviewed in 2004, Kyffin Williams explained how oil became more or less used as a substitute for tempera, a medium in which pigment was mixed with egg yolk. Oil was introduced to Venice by painters from the Low Countries as early as 1474. The new medium allowed a brush to be used more vigorously and fluently than with tempera, for which a small brush was used.

Kyffin went on to say that because Venice was at the time a powerful maritime state, there were acres of canvas available in its shipyards. He described this as 'one of the great bits of luck in the history of art', for it encouraged great artists like Titian, Tintoretto and Paolo Veronese (1528-88) to work on a large scale.

Venice had a great influence on the development of landscape painting. Of the native Venetian painters who worked in Venice in the seventeenth and eighteenth centuries, possibly the best known was Giovanni Antonio Canal, 'Canaletto' (1697-

Canaletto : *Y fynedfa i'r Canal Grande* [manylion]

The entrance to the Grand Canal [detail]

Giovanni Antonio Canal, 'Canaletto' (1697-1768). *Vedute* ('golygfeydd') a baentiai Canaletto. Yn y paentiadau topograffig hyn cofnodwyd Fenis—a Llundain hefyd—yn fanwl. Weithiau câi hyn ei wneud trwy ddefnyddio *camera obscura*, blwch cludadwy gyda thwll bach neu lens a drych y tu mewn i'r blwch oedd yn adlewyrchu llun yr olygfa ar bapur neu sgrin wydr. Yna câi'r llun ei ddargopïo cyn mynd ati i orffen y paentiad terfynol.

Er bod Kyffin Williams yn derbyn bod Canaletto yn 'arlunydd o fri', teimlai mai Francesco Guardi (1712-93) oedd 'yn cyfleu teimlad' a gwir ysbryd Fenis. Roedd yn well gan Kyffin ddehongliad Guardi o'r ddinas. Dechreuodd Guardi trwy baentio *vedute*, ond datblygodd arddull mwy rhydd a deongliadol. Llwyddodd i ddal awyrgylch a golau arbennig Fenis yn ei dirluniau ac roedd ganddo ddawn eithriadol i baentio pobl. Wrth edrych yn agos mae'r bobl yn ei luniau'n edrych fel smotiau o baent, ond wrth gamu'n ôl, gallwch weld y bobl yn glir. Defnyddiai strociau brwsh cyflym a sydyn wrth baentio.

Yn y ddeunawfed, y bedwaredd ar bymtheg a'r ugeinfed ganrif, tyrrai arlunwyr blaenllaw'r oes i Fenis. Yn union fel Kyffin, yr hyn a'u denai oedd 'cyfoeth, gwychder a cheinder' y ddinas a'r golau gwych, golau perlaidd Fenis a'r dŵr hollbresennol.

1768). Canaletto painted *vedute* ('views'). These topographical paintings recorded Venice—and also London—in great detail. This was sometimes achieved through the use of the *camera obscura*, a tented enclosure or a portable box with a pinhole or a lens, through which an image of the scene being viewed was reflected by a mirror to be cast on to paper or a ground glass screen. The image was then traced and the final painting completed.

Whilst Kyffin Williams accepted that Canaletto was 'a great painter', he felt that it was Francesco Guardi (1712-93) who had 'got the feeling' and conveyed the true spirit of Venice. Kyffin preferred Guardi's interpretation of the city. Guardi had begun painting *vedute*, but developed a more interpretative style, painting with great spontaneity. Guardi was sensitive to the landscape and was nothing short of a magician when painting the human figure. Looked at closely, his figures appear like blobs of paint, but when one stands back from the painting Guardi's figures unmistakably resemble human form. Guardi painted with darting, rapid brush strokes.

In the eighteenth, nineteenth and twentieth centuries, leading painters of the time flocked to Venice. They were attracted, as Kyffin was, by the 'opulence and sumptuousness and elegance' of the city and by the magnificent pearly light of Venice and the ever present water.

"Yr hyn oedd yn fy rhyfeddu am Fenis oedd yr argraff bendant ei fod yn lle lliwgar iawn, ond nid yw'n lliwgar. Os ewch chi i'r Alpau mae'n edrych yn lliwgar oherwydd yr aer; ond ar lefel y môr mae'n pylu, ac i mi, y mae ar ei gorau pan fo'r awyr yn mynd yn ddulas a thywyll iawn a'r holl palazzos ar hyd y Canal Grande yn troi'n arian, fel yng ngwaith Guardi."

"What amazed me about Venice is that I got the distinct impression that it was a very colourful place, but it's not colourful. If you go up into the Alps it gets colourful because of the air; down at sea level it becomes subtle, and to me it is best when the sky gets very dark blue-black and all the palazzos along the Grand Canal become silvery, rather like in the work of Guardi."

Francesco Guardi : *Gondolâu ar y Morlyn / Gondolas on the Lagoon* (1765)

Canaletto

↑ *Capriccio gyda*
S Giorgio Maggiore
a thŵr eglwys baróc
(1760au)

← *Regata ar y Canal*
Grande (c.1735)

↑ *Capriccio with*
S Giorgio Maggiore
and a baroque steeple
(1760s)

← *A Regatta on the*
Grand Canal (c.1735)

Francesco Guardi
Regata ar y Canal Grande / A Regatta on the Grand Canal (c.1770-1775)

Francesco Guardi
Y *Punta della Dogana gyda S Maria della Salute* / *The Punta Della Dogana with S Maria della Salute* (c.1770)

Kyffin yn Fenis

Yn 1950, a Kyffin bellach yn athro celf yn Ysgol Highgate yn Llundain, croesodd y Sianel i ymweld â Fenis am y tro cyntaf. Roedd yn 32 oed.

Am y tro cyntaf ers iddo fod yn astudio yn y Slade yn y 1940au, gallai weld drosto'i hun drysorau celf Fenis yn yr eglwysi, y *palazzi* a chanolfannau dinesig *La Serenissima*. Cafodd ei ysbrydoli o'r newydd gan eu gwychder:

> *"Roeddwn yn hapus yn Fenis, ac er ei bod yn anodd i mi weld yn iawn oherwydd yr haul llachar, cefais fy nghyfareddu gan Gelfyddyd Fenis y tu mewn i'r eglwysi a'r orielau. Roedd ei hafiaith wedi apelio ataf erioed yn ogystal â'r rhyddid oedd gan ei harlunwyr i fynegi eu hunain, ond nawr gallwn weld drosof fy hun rai o baentiadau mwyaf y byd."*

Yn Fenis yn 1950, daeth y cyfan ynghyd i Kyffin: portreadau, tirluniau (mae llawer o waith Titian yn darlunio'r tirlun). Cafodd y gelfyddyd hon argraff ddofn ar Kyffin, a bu'r ffurfiau a'r lliwiau cyfoethog yn gynhaliaeth iddo trwy gydol ei yrfa fel arlunydd.

Kyffin, 1950

Kyffin in Venice

It was 1950 when Kyffin, now a teacher of art at Highgate School in London, crossed the Channel to make his first visit to Venice. He was 32 years old.

For the first time since his studies at the Slade in the 1940s, he was able to see at first hand the art treasures of the Venetians in the churches, *palazzi* and civic centres of *La Serenissima*. He was inspired anew by their brilliance:

> *"I was happy in Venice for, even though it was difficult for me to see properly in the strong sunlight, inside the churches and galleries I fell under the spell of Venetian Art. I had always loved its exuberance and lack of inhibition and now I was able to see some of the greatest paintings in the world."*

In Venice in 1950, it all came together for Kyffin: portrait paintings, landscape painting (many of Titian's paintings feature the landscape). This art would make an indelible mark on the screen of Kyffin's mind, a wealth of form and colour that would sustain his career as an artist.

Aeth Kyffin Williams yn ôl i Fenis fwy nag unwaith dros y blynyddoedd. Yn 1974 cefnodd ar Lundain gan ddychwelyd i fyw a phaentio yn Ynys Môn, ond ni phylodd apêl Fenis. Bu ei daith i Fenis yn 1979 yn gynhyrchiol iawn gan iddo baentio nifer o luniau olew yn darlunio golygfeydd o Fenis. Yn 1980 cynhaliodd ei arddangosfa Fenisaidd yn Oriel Tegfryn ym Mhorthaethwy, Ynys Môn. Prynwyd nifer o'i baentiadau gan gasglwyr preifat ym Mhrydain a thu hwnt.

Yn 2004 aeth Syr Kyffin ar ei ymweliad olaf â Fenis, siwrnai a gafodd ei chroniclo yn y rhaglen deledu, *Reflections in a Gondola*. Roedd wrth ei fodd yn ôl yn Fenis lle bu'n myfyrio ar rôl y ddinas mewn hanes ac ar ei waith ei hun. Gwnaeth nifer o ddarluniau pensil, a'u paentio'n ddiweddarach â dyfrlliwiau; rhai o dan lygaid y camera yng nghaffi enwog Florian, ac eraill ar ôl iddo ddychwelyd i Ogledd Cymru.

Yr unig baentiad olew a ddeilliodd o'r ymweliad hwn oedd *Y Gamlas Fawr*. Gwnaeth fraslun pensil a dyfrlliw tra oedd yn Fenis, ac yna cwblhaodd y paentiad olew yn ei gartref ym Mhwllfanogl ar lannau'r Fenai. *Y Gamlas Fawr* oedd un o'i baentiadau olew olaf cyn iddo farw ym Medi 2006.

Bu Jan Morris, awdures *Venice* (1960), *The Venetian Empire: A Sea Voyage* (1980) a nifer o lyfrau eraill, yn trafod 'Y Gamlas Fawr' yn ystod ei darlith a drefnwyd gan Ymddiriedolaeth Syr Kyffin Williams yn Oriel Ynys Môn yn 2011.

"Un o'r adweithiau rhyfeddaf ac mwyaf arwyddocaol i bresenoldeb Dinas Fenis yw dehongliad Kyffin

Kyffin, 2004

Other visits to Venice by Kyffin Williams followed over the years. He returned from London to live and paint in Anglesey in 1974, but his love affair with Venice was far from over. A highly productive visit in October 1979 resulted in a great many paintings of Venetian scenes in oil. In 1980 he held his Venetian exhibition at the Tegfryn Gallery in Menai Bridge, Anglesey, with many paintings purchased for private collections within Britain and abroad.

In 2004 Sir Kyffin visited Venice for the last time, a journey which was the subject of the television programme *Reflections in a Gondola*. It was a triumphant return, in which he reflected on the role of Venice in history and on his own work. He produced a number of pencil drawings, which he later painted in watercolour: some under the gaze of the camera at the famous Caffè Florian, the others when he returned to North Wales.

His only oil painting from this visit was *The Grand Canal*. For this he prepared a pencil and watercolour sketch whilst in Venice, and then completed the oil at his home at Pwllfanogl, beside the Menai Strait. *The Grand Canal* was one of the last paintings before Kyffin's death in September 2006.

Jan Morris, the author of *Venice* (1960), *The Venetian Empire: A Sea Voyage* (1980) and many other books, spoke about 'The Grand Canal' during her lecture organised by the Sir Kyffin Williams Trust at Oriel Ynys Môn in 2011.

"One of the strangest and most compelling responses of all to the presence of Venice has been

o'r Gamlas Fawr. Mae'n astudiaeth o amryw o liwiau: glas, llwyd ac ocr. Mae'r darlun wedi ei baentio o leoliad rhywle rhwng pontydd yr Accademia a'r Rialto.

"Yn fy llyfrgell gartref, mae'n debyg fod gennyf rai cannoedd o baentiadau o'r Gamlas Fawr—hynny ydi adargraffiadau—ond does yr un ohonynt yn ddim byd tebyg i baentiad rhyfeddol Kyffin. Mae'n fath o baentiad 'marw lonydd'. Ymddengys y gamlas fel pe bai wedi rhewi a phrin yw'r traffig arni ar wahân i un gondola unig ac un neu ddau o gychod bach a'r rhain oll yn ymddangos yn ddisymud. Mae'r awyr yn dywyll, rhyw liw glas bygythiol. Er nad yw'r dŵr yn wyllt, mae fel pe bai'n aflonydd yn union fel y mae yn rhai o forluniau Kyffin o Gymru. Mae'r rhes o balasau urddasol yn ymddangos yn gwbl ddifywyd yn wir yr unig arwydd o fywyd, o ddynoliaeth, yn y llun, yw'r un paentiad aneglur o rwyfwr y gondola—fel arall mae'r gondola yn wag. Perthyn y paentiad i Kyffin ac i neb arall, nid oes yma ddylanwadau artistig eraill.

"Mae astudio'r llun prydferth ac anarferol yma, llun sy'n cyfuno personoliaeth gweledydd o artist a mangre arbennig iawn yn gwneud imi feddwl unwaith yn rhagor am gysylltiadau rhwng pobl a dinasoedd.

"... Mae Kyffin yn cyfarfod Fenis, fel petai, yn faes astudiaeth arbennig o ddiddorol. Mae'r artist ysbrydoledig sydd wedi ymroi yn llwyr i'w grefft yn fy marn i, yr enghraifft derfynol o ddatblygiad dynolryw—fel mae'r ddinas yn enghraifft derfynol o greadigaeth gorfforol dynoliaeth. Kyffin oedd Kyffin, Fenis oedd, wel, Fenis, *La Serenissima*."

Kyffin's strikingly idiosyncratic interpretation ... of—yes!—the Grand Canal. It's a study in blues, greys and ochres, painted from a viewpoint somewhere between the Accademia and the Rialto bridges.

"I suppose I have in my library at home a couple of hundred paintings of the Grand Canal—in reproduction, I mean—and not one of them is remotely like this remarkable picture of Kyffin's. It is a deadpan kind of picture. The canal looks as though it might be frozen, and the sparse traffic on it—a solitary gondola, a couple of indeterminate skiffs—seems motionless. The sky is a dark, rather surly kind of blue. The water, though not rough, seems oddly perturbed, just as it does in some of his Welsh seascapes. The majestic avenue of palaces looks utterly lifeless, and the only recognisable sign of humanity in the picture is the blurred figure of the oarsman in his otherwise empty gondola. The picture is entirely Kyffin.

"Well, studying this beautiful and unusual thing, combining as it were the personalities of visionary artist and legendary place, makes me think once more about contacts between people and cities.

"... Kyffin meeting Venice seems to me an especially interesting case study. The inspired and dedicated artist is, to my mind, the supreme example of human evolution: the city the ultimate physical creation of mankind. Kyffin was Kyffin, Venice was, well, Venice, *La Serenissima*."

Kyffin Williams: *Y Gamlas Fawr / The Grand Canal* (2004)

Kyffin Williams : *Camlas, Fenis / Canal, Venice* (1979)

Kyffin Williams : *Y Morlyn* I / *The Lagoon* I (1979)

Kyffin Williams : *S Maria della Salute* (2004)

↑↗ *Kyffin yn Fenis, 1979 a 2004*   ↖↑ *Kyffin in Venice, 1979 and 2004*

Kyffin Williams : *Tuag at y Salute / To the Salute* (1979)

Kyffin Williams: *Le Zitelle* [La Giudecca] (1979)

Kyffin Williams: *Y Morlyn 2 / The Lagoon 2* (1979)

Reflections in a Gondola

Mae'r rhaglen deledu hon yn gofnod o ymweliad olaf Syr Kyffin â Fenis.

Cyrhaeddodd gyda'r criw ffilmio ar 24 Mai 2004, gan lanio ym Maes Awyr Marco Polo. Teithiodd mewn cwch modur o'r maes awyr, ar draws y morlyn i Westy'r Danieli, rownd y gornel o Piazza San Marco. Yn ystod y tri diwrnod canlynol paentiodd Kyffin yn ddi-baid a chafodd ei ffilmio mewn gwahanol leoliadau yn Fenis, o dan gyfarwyddyd y diweddar gyfarwyddwr arloesol John Hefin. Ffilmiwyd Kyffin yn myfyrio ar ei yrfa hir fel arlunydd, wrth deithio i lawr y Canal Grande mewn gondola addurnedig.

Yn y rhaglen cafodd Kyffin y cyfle i ddewis y pedwar eiliad mwyaf arwyddocaol yn ei fywyd. Roedd ei ddewisiadau, yng ngeiriau John Hefin, yn 'ddiddorol ac yn dweud llawer amdano'. Man ei eni, Ynys Môn. Eiliad ysbrydol yn Ysgol Celfyddyd Gain y Slade, pan welodd lun *Yr Atgyfodiad* (*c.*1464) gan Piero della Francesca am y tro cyntaf. Cafodd effaith emosiynol gref ar Kyffin nes peri iddo wylo. Dyna pryd y sylweddolodd bod mwy i baentio na chreu delweddau ar bapur neu ganfas, roedd cariad ac emosiwn yn rhan ohono

This television programme is a record of Sir Kyffin's final visit to Venice.

He arrived with the film crew on 24 May 2004, landing at Marco Polo Airport. He travelled by motor-boat from the airport across the lagoon to Hotel Danieli, round the corner from the Piazza San Marco. During the next three days Kyffin painted relentlessly and was filmed at different locations in Venice, under the direction of the late highly acclaimed director John Hefin. To camera, Kyffin reflected on his long career as an artist, whilst gliding down the Grand Canal in a decorative gondola.

The programme gave Kyffin the opportunity to choose the four most fortunate moments of his life and comment upon them. His choices, as John Hefin said, were both 'revealing and fascinating'. His birth place, Anglesey. A spiritual moment at the Slade School of Fine Art, when he saw for the first time Piero della Francesca's painting *The Resurrection* (*c.*1464). Kyffin was overwhelmed—he wept at the emotional power of the painting. It was then he realised that painting was not just putting images down on paper or canvas, but

hefyd. Roedd hon yn eiliad dyngedfennol. Fel y dywed-odd Kyffin, *'cefais fy nharo a fy llorio gan yr emosiwn yn y paentiad'*. Yn 1947 wedi bod yn paentio ar Gader Idris yn yr hen Sir Feirionydd, ar derfyn y dydd meddyliodd *'efallai, efallai, y gallaf ennill bywoliaeth trwy baentio'*.

A'r pedwerydd? ... Ei ymweliad cyntaf yn 1950 â Fenis, y ddinas hardd.

that love and emotion were involved. This was his Damascus moment. As Kyffin said *'the emotion in the painting hit me, pole-axed me'*. In 1947, painting on Cader Idris in the old Meirionnydd, he thought at the end of a day's painting alone on the mountain, that *'maybe, just maybe, I could make a living by painting'*.

And the fourth? ... His first visit in 1950 to Venice, the beautiful city.

Cynyrchiadau teledu Fflic ar gyfer BBC Cymru, 2004
Cynhyrchydd: Gwenda Griffith
Cyfarwyddwr: John Hefin
Camera: Stephen Kingston / *Sain*: Steve Jones
Golygydd: Chris Lawrence / *Cydlynydd cynhyrchu*: Nia Jones
Ymgynghorydd: David Meredith

A Fflic television production for BBC Wales, 2004
Producer: Gwenda Griffith
Director: John Hefin
Camera: Stephen Kingston / *Sound*: Steve Jones
Editor: Chris Lawrence / *Production co-ordinator*: Nia Jones
Consultant: David Meredith

Kyffin Williams: *Yn gynnar y bore, Fenis, 2 / Early Morning, Venice, 2* (1979)

Kyffin Williams : *Fenis* [o'r gerddi] / *Venice* [from the gardens] (1979)

Fenis, y ddinas hardd
Llinell amser y celfyddydau

421 San Giacomo, eglwys gyntaf Fenis, yn cael ei hadeiladu ar ynys fach Rivo Alto (neu Rialto).

453 Ffoaduriaid o Attila yn ffoi i gorsydd ac ynysoedd y morlyn yn Fenis.

539 Rhanbarth Fenis yn dod yn rhan o ymerodraeth Caergystennin.

568 Ffoaduriaid yn ffoi rhag ymosodiad y Lombardiaid i ynysoedd Fenis ac yn ymsefydlu yno.

697 Paolo Lucio Anafesto yn cael ei ethol yn Doge ('arweinydd') cyntaf.

828 Creiriau o Sant Marc, a ddygwyd o'r Aifft, yn cyrraedd Fenis.

1099 Cysegru Basilica Sant Marc.

1104 Dyddiad traddodiadol adeiladu'r *Arsenale*, porthladd ac iardiau llongau Fenis.

1162 Dyddiad traddodiadol dechrau carnifal Fenis.

1172 Sefydlu'r *Maggior Consiglio* (Uwch Gyngor Fenis).

1204 Fenis yn dargyfeirio'r Bedwaredd Groesgad i ysbeilio Caer Gystennin. Yr ysbail yn cynnwys cerfluniau efydd o'r cyfnod clasurol, sy'n cael eu hadnabod fel *Ceffylau Sant Marc*.

1271 Marco Polo, masnachwr o Fenis yn gadael am Cathay (Tsieina); dychwelyd 1295.

1292 Gweithwyr gwydr Fenis yn cael eu symud i ynysoedd Murano.

1340 Dechrau adeiladu'r *Palazzo Ducale* (Palas y Doge) sy'n dal i sefyll heddiw.

1400 g.Jacopo Bellini, arlunydd y Dadeni (m.c.1470).

Venice, the beautiful city
A timeline of the arts

421 Venice's first church, San Giacomo, is built on the little island of Rivo Alto (or Rialto).

453 Refugees from Attila the Hun flee to the marshes and islands of the Venetian lagoon.

539 The Venice region becomes part of the Byzantine empire.

568 Refugees from the Lombard invasion of Italy flee to the Venetian islands and settle there.

697 Paolo Lucio Anafesto is elected as first Doge ('leader').

828 Relics of St Mark, stolen from Egypt, are installed in Venice.

1099 The consecration of St Mark's Basilica.

1104 Traditional date for building of the *Arsenale*, Venice's dock and shipbuilding yards.

1162 Traditional date for the start of Venice's carnival.

1172 The *Maggior Consiglio* (Great Council of Venice) is established.

1204 Venice diverts the Fourth Crusade to instigate the sack of Constantinople. Booty includes the classical era bronze statues known as the *Horses of St Mark.*

1271 Venetian merchant Marco Polo leaves for Cathay (China); returns 1295.

1292 Venice's glass workers are moved to the islands of Murano.

1340 Work begins on the version of the *Palazzo Ducale* (Doge's Palace) that still stands today.

c.1465 g.Vittore Carpaccio, arlunydd o'r Ysgol Fenetaidd (m.1526).

c.1477 g.Giorgione (Giorgio da Castelfranco), arlunydd y Dadeni (m.1510).

c.1488 g.Titian (Tiziano Vecellio), arlunydd blaenllaw o'r Ysgol Fenetaidd (m.1576).

1480 Bu farw Andrea del Verocchio yn Fenis (g.1435 yn Fflorens), cerflunydd, eurych ac arlunydd.

1508 g.Andrea Palladio, pensaer, yn weithgar yng Ngweriniaeth Fenis (m.1580).

1514 Codi Clochdy Sant Marc (ailgodwyd ar ôl iddo ddymchwel yn 1902).

1566 Palladio yn dechrau codi Eglwys San Giorgio Maggiore.

1518 g.Tintoretto (Jacopo 'Robusti' Comin, m.1594), arlunydd y Dadeni.

1528 g.Paolo Veronese, arlunydd y Dadeni (m.1588).

1588 Ponte di Rialto (Pont Rialto).

1596-98 *Marsiandïwr Fenis* gan William Shakespeare.

1613 Claudio Monteverdi y cyfansoddwr yn symud i Fenis (m.1643).

1678 g.Antonio Vivaldi, cyfansoddwr (m.1741).

1697 g.Canaletto (Giovanni Antonio Canal), arlunydd *vedute* (m.1768).

1707 g.Carlo Goldoni, dramodydd a libretwr o Fenis (m.1793).

1712 g.Francesco Guardi, arlunydd arloesol *vedute* (m.1793).

1725 g.Giacomo Casanova (m.1798), awdur cyffesion yn dwyn y teitl *Histoire de ma Vie*.

1792 Cwblhau *Teatro la Fenice*, tŷ opera Fenis. (Ers iddo agor mae wedi llosgi a chael ei ailgodi ddwywaith.)

1797 Cwymp Gweriniaeth Fenis.

1819 Y gyntaf o sawl taith i Fenis gan yr arlunydd o Sais J M W Turner (1775-1851).

1851 Première *La Fenice* o *Rigoletto*, opera gan Giuseppe Verdi (1813-1901).

1869 Y gyntaf o sawl taith gan Henry James, awdur o America (1843-1916).

1400 b.Jacopo Bellini, Renaissance painter (d.*c*.1470)

c.1465 b.Vittore Carpaccio, painter of the Venetian School (d.1526).

c.1477 b.Giorgione (Giorgio da Castelfranco), Renaissance painter (d.1510).

c.1488 b.Titian (Tiziano Vecellio), leading painter of the Venetian school (d.1576).

1480 The death in Venice of Andrea del Verocchio (b.1435 in Florence), sculptor, goldsmith and painter.

1508 b.Andrea Palladio, architect, active in the Republic of Venice (d.1580).

1514 St Mark's Campanile (reconstructed after its collapse in 1902).

1566 Palladio commences the great Church of San Giorgio Maggiore.

1518 b.Tintoretto (Jacopo 'Robusti' Comin, d.1594), Renaissance painter.

1528 b.Paolo Veronese, Renaissance painter (d.1588).

1588 Ponte di Rialto (the Rialto bridge).

1596-98 *The Merchant of Venice* by William Shakespeare.

1613 The composer Claudio Monteverdi moves to Venice (d.1643).

1678 b.Antonio Vivaldi, composer (d.1741).

1697 b.Canaletto (Giovanni Antonio Canal), painter of *vedute* (d.1768).

1707 b.Carlo Goldoni, Venetian playwright and librettist (d.1793).

1712 b.Francesco Guardi, innovative painter of *vedute* (d.1793).

1725 b.Giacomo Casanova (d.1798), author of confessions entitled *Histoire de ma Vie*.

1792 Completion of *Teatro la Fenice*, the Venetian opera house. (Since opening it has burned and been rebuilt twice.)

1797 The fall of the Venetian Republic.

1819 The first of many trips to Venice by the English painter J M W Turner (1775-1851).

1889 Robert Browning (g.1812), y bardd o Loegr yn marw yn Fenis.

1895 *La Biennale di Venezia*, Arddangosfa Gelf Ryngwladol Eilflwydd gyntaf Fenis.

1895 Walter Sickert (1860-1942), artist Saesneg wedi'i eni yn yr Almaen, yn treulio'r rhan fwyaf o'r cyfnod hyd at 1905 yn paentio yn Fenis.

1905 Murluniau gan Frank Brangwyn, artist Eingl-Gymreig yn cael eu comisiynu ar gyfer Arddangosfa Eilflwydd Fenis. Gwnaeth Brangwyn (1867-1956) nifer o baentiadau oedd yn darlunio golygfeydd o Fenis.

1908 Claude Monet, un o brif Argraffiadwyr Ffrainc (1840-1926) yn ymweld â Fenis.

1911 Nofelig *Der Tod in Venedig* ('Marwolaeth yn Fenis') gan Thomas Mann, awdur o'r Almaen. Addaswyd hon yn ffilm (Luchino Visconti 1971), ac yn opera (Benjamin Britten 1973).

1929 Sergei Diaghilev, sylfaenydd Rwsaidd *Ballets Russes*, yn marw yn Fenis.

1932 Gŵyl Ffilmiau Ryngwladol gyntaf Fenis yn cael ei chynnal.

1950 Y gyntaf o sawl taith i Fenis gan Kyffin Williams. Roedd ei ymweliad olaf yn 2004.

1971 Igor Stravinsky (g.1882) y cyfansoddwr o Rwsia'n cael ei gladdu ym mynwent San Michele.

1973 Ffilm *Don't Look Now* (Nicolas Roeg), yn seiliedig ar stori fer o 1971 gan Daphne du Maurier, awdur o Loegr.

1980 Sefydlu amgueddfa barhaol yn Palazzo Venier dei Leoni i ddangos casgliad celf fodern Peggy Guggenheim.

1980 Sefydlu *Mostra di Architettura di Veneza*, Arddangosfa Eilflwydd Pensaernïaeth.

1851 Première at *La Fenice* of *Rigoletto*, an opera by Giuseppe Verdi (1813-1901).

1869 First of many visits by American writer Henry James (1843-1916).

1889 The death in Venice of Robert Browning (b.1812), English poet.

1895 *La Biennale di Venezia*, the first Venice Biennale International Exhibition of Art.

1895 German-born English artist Walter Sickert (1860-1942) spends much of the period up to 1905 painting in Venice.

1905 Murals of Anglo-Welsh artist Frank Brangwyn are commissioned for the Venice Biennale. Brangwyn (1867-1956) made many paintings of Venetian scenes.

1908 The French impressionist painter Claude Monet (1840-1926) visits Venice.

1911 *Der Tod in Venedig* ('Death in Venice') novella by German author Thomas Mann. This was adapted as a film (Luchino Visconti 1971), and an opera (Benjamin Britten 1973).

1929 The death in Venice of Sergei Diaghilev, Russian founder of the *Ballets Russes*.

1932 The first Venice International Film Festival is held.

1950 The first of several visits to Venice by Kyffin Williams. His last visit is in 2004.

1971 The Russian-born composer Igor Stravinsky (b.1882) is buried in San Michele cemetery.

1973 Film *Don't Look Now* (Nicolas Roeg), based on a 1971 short story by English writer Daphne du Maurier.

1980 A permanent museum is established in the Palazzo Venier dei Leoni to show the Peggy Guggenheim Collection of modern art.

1980 *Mostra di Architettura di Veneza* is established, the Biennale of Architecture.

Leinar yn docio / Liner docking (1979)

Mae Cymru wedi cael ei chynrychioli yn Arddangosfeydd Celf Rhyngwladol y Biennale ers 2003. Cynrychiolwyd gan :

2003 Simon Pope, Cerith Wyn Evans, Bethan Huws, Paul Seawright.

2005 Peter Finnemore, Laura Ford, Paul Granjon, Bedwyr Williams.

2007 Richard Deacon, Merlin James, Heather Morrison, Ivan Morrison.

2009 John Cale.

2011 Tim Davies.

Mehefin 1 – Tachwedd 24, 2013
Bedwyr Williams a'r *'Starry Messenger'*.

Wales has had an independent presence at successive Biennale International Art Exhibitions since 2003. Represented by :

2003 Simon Pope, Cerith Wyn Evans, Bethan Huws, Paul Seawright.

2005 Peter Finnemore, Laura Ford, Paul Granjon, Bedwyr Williams.

2007 Richard Deacon, Merlin James, Heather Morrison, Ivan Morrison.

2009 John Cale.

2011 Tim Davies.

1 June – 24 November 2013
Bedwyr Williams and *The Starry Messenger*.

Kyffin Williams : *Fenis / Venice* (1979)